LE TOUR DU MONDE
EN CHANSONS

RÉALISATION DU CD

Réalisation, coordination, casting et direction musicale : Patrice Dubuc
Prise de son et mixage : Éric Leboeuf (Studio Audio Z)
Assistants : Johan Chacon, Mathias Arminjon
Coordination (Audio Z) : Hélène Hekpazo, Jessica Lyman

MUSICIENS
Chansons du Canada et des États-Unis :
Guitares et programmation : Patrice Dubuc
Violon et mandoline : André Proulx
Banjo, pedal steel, guitare : Jean-Guy Grenier
Accordéon : Marine Nasturica

INTERPRÈTES
Chansons du Canada et des États-Unis, et la chanson « Yellow Bird »
Linda Benoy
Lina Boudreau
Dominique Faure
Dan Lebel
Vincent Potel

Chansons du Mexique
Ensemble : Les Mariachi Figueroa
Jose Figueroa
Jose-Luis Figueroa
Manuel Figueroa
Marcos Figueroa

Chansons des peuples autochtones du Canada
Recherche et supervision : Sylvain Rivard
Nathalie Cardin (« Danse de l'amitié »)
Lydia Etok (« Chanson des doigts »)
Steve McComber (« Danse du pigeon voyageur »)
Nicole O'Bomsawin (« Danse de l'amitié »)
Sylvain Rivard (« Danse de l'amitié »)

Chansons des Antilles
Lody Auguste (« Dodo titite »)
Éric Faustin (« Doudou à moin »)
Carlos Placeres (« Duerme, duerme, negrito »)

Patrice Dubuc tient à remercier :
- Lina Boudreau, Monique Richard et Charlotte Cormier pour le choix de la chanson acadienne
- Vincent Potel pour son implication
- L'organisme Terres en vues et le Musée des Abénakis d'Odanak pour leur collaboration à la section des chansons des peuples autochtones du Canada
- Pierre-Roland Bain, du Comité International pour la Promotion du Créole et de l'Alphabétisation, pour sa collaboration à la section des chansons créoles
- Serge Laforest et toute l'équipe d'Audio Z
- Tous les artistes qui ont contribué à la production du disque

HENRIETTE MAJOR *et* PATRICE DUBUC

Le tour du monde en chansons

Québec • Canada • États-Unis • Mexique • Antilles

Illustrations de
Christiane Beauregard, Geneviève Côté, Normand Cousineau,
Stéphan Daigle, Marie Lafrance, Michel Rabagliati, Alain Reno

Arrangements musicaux
Patrice Dubuc

FIDES

Éditions Fides

Direction éditoriale ◆ GUYLAINE GIRARD

Direction artistique ◆ GIANNI CACCIA

Direction de production ◆ CAROLE OUIMET

Collaborateurs

Réalisation des portées musicales ◆ JEAN FITZGERALD

Correction d'épreuves ◆ YVAN DUPUIS

Correction et traduction des chansons mexicaines et de la chanson «Duerme, duerme, negrito» ◆ DAISY AMAYA, PIERRE DESRUISSEAUX et GINETTE HARDY.

Correction et traduction de la chanson créole d'Haïti ◆ PIERRE-ROLAND BAIN

Illustrateurs

Christiane Beauregard ◆ pages 8 à 22

Geneviève Côté ◆ pages 23 à 33

Normand Cousineau ◆ pages 60 à 77

Stéphan Daigle ◆ pages 88 à 105

Marie Lafrance ◆ pages 78 à 87

Michel Rabagliati ◆ pages 48 à 59

Alain Reno ◆ pages 35 à 47

Catalogage avant publication de Bibliothèque et Archives nationales du Québec et Bibliothèque et Archives Canada

Vedette principale au titre :
Le tour du monde en chansons : Québec, Canada, États-Unis, Mexique, Antilles
Doit être acc. d'un disque son.
Pour les jeunes.

ISBN 978-2-7621-2825-3

1. Chansons folkloriques – Amérique du Nord – Ouvrages pour la jeunesse. 2. Chansons enfantines – Amérique du Nord. I. Major, Henriette, 1933-2006. II. Dubuc, Patrice.

M1992.T727 2007   J782.421620097   C2007-941783-3

Dépôt légal : 3ᵉ trimestre 2007
Bibliothèque nationale du Québec
© Éditions Fides, 2003

Les Éditions Fides reconnaissent l'aide financière du Gouvernement du Canada par l'entremise du Programme d'aide au développement de l'industrie de l'édition (PADIÉ) pour leurs activités d'édition. Les Éditions Fides remercient de leur soutien financier le Conseil des Arts du Canada et la Société de développement des entreprises culturelles du Québec (SODEC). Les Éditions Fides bénéficient du Programme de crédit d'impôt pour l'édition de livres du Gouvernement du Québec, géré par la SODEC.

IMPRIMÉ AU CANADA EN SEPTEMBRE 2007

Présentation

Partout à travers le monde et dans toutes les langues, les enfants chantent, les parents et les grands-parents chantent pour les enfants.

Ce recueil regroupe des chansons de l'Amérique du Nord et des Antilles, qui font partie des incontournables du patrimoine folklorique mondial. Elles permettront aux jeunes de s'ouvrir à d'autres cultures, à d'autres langues, à d'autres formes de poésie. Quoi de meilleur que la chanson pour découvrir le monde ?

Dans nos villes multiethniques, certains retrouveront avec plaisir des airs de leur pays d'origine, d'autres reconnaîtront des classiques. Bon voyage en chansons !

Henriette Major
Patrice Dubuc

Chansons du Québec
et du Canada français

Alouette

A - lou - et - te, gen - tille a - lou - et - te,   A - lou - et - te,   je te plu - me - rai.

Je te plu - me - rai la tête Je te plu - me - rai la tête Et la tête Et la tête A - lou - ette A - lou - ette Ah !

Refrain

Alouette, gentille alouette,
Alouette, je te plumerai.

Je te plumerai la tête *(bis)*
Et la tête *(bis)*
Alouette *(bis)*
Ah !

Je te plumerai le bec *(bis)*
Et le bec *(bis)*
Et la tête *(bis)*
Alouette *(bis)*
Ah !

Je te plumerai le cou…
Je te plumerai les ailes…
Je te plumerai les pattes…
Je te plumerai la queue…
Je te plumerai le dos…

V'là l'bon vent

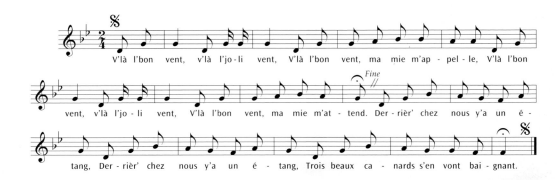

V'là l'bon vent, v'là l'jo-li vent, V'là l'bon vent, ma mie m'ap-pel-le, V'là l'bon vent, v'là l'jo-li vent, V'là l'bon vent, ma mie m'at-tend. Der-rièr' chez nous y'a un é-tang, Der-rièr' chez nous y'a un é-tang, Trois beaux ca-nards s'en vont bai-gnant.

Fine

Refrain

V'là l'bon vent, v'là l'joli vent,

V'là l'bon vent, ma mie m'appelle,

V'là l'bon vent, v'là l'joli vent,

V'là l'bon vent, ma mie m'attend.

Derrièr' chez nous y'a un étang, *(bis)*
Trois beaux canards s'en vont baignant.

Trois beaux canards s'en vont baignant, *(bis)*
Le fils du roi s'en va chassant.

Le fils du roi s'en va chassant *(bis)*
Avec son grand fusil d'argent.

Avec son grand fusil d'argent, *(bis)*
Visa le noir, tua le blanc.

Visa le noir, tua le blanc, *(bis)*
Ô fils du roi, tu es méchant !

Ô fils du roi, tu es méchant ! *(bis)*
D'avoir tué mon canard blanc.

D'avoir tué mon canard blanc, *(bis)*
Par-dessous l'aile, il perd son sang.

Par-dessous l'aile, il perd son sang, *(bis)*
Par les yeux lui sort'nt des diamants.

Par les yeux lui sort'nt des diamants, *(bis)*
Et par son bec, l'or et l'argent.

Et par son bec, l'or et l'argent, *(bis)*
Toutes ses plum's s'en vont au vent.

Toutes ses plum's s'en vont au vent, *(bis)*
Trois dam's s'en vont les ramassant.

Chanson
de l'Acadie

Où vas-tu, mon p'tit garçon?

Femme

« Où vas-tu, mon p'tit garçon ? » *(bis)*
Je m'en viens, tu t'en vas, nous passons.

Garçon

« Je m'en vais droit à l'écol',
Apprendr' la parol' de Dieu. »
Disait ça, un enfant de sept ans.

Femme

« Qu'est-c' qu'est plus haut que les arbr's ? » *(bis)*
Je m'en viens, tu t'en vas, nous passons.

Garçon

« Le ciel est plus haut que l'arbr',
Le soleil au firmament. »
Disait ça, un enfant de sept ans.

Femme

« Qu'est-c' qu'est plus creux que la mer ? » *(bis)*
Je m'en viens, tu t'en vas, nous passons.

Garçon

« L'enfer est cent fois plus creux,
L'enfer aux feux éternels. »
Disait ça, un enfant de sept ans.

Femme

« Qu'est-c' qui pousse sur nos terr's ? » *(bis)*
Je m'en viens, tu t'en vas, nous passons.

Garçon

« Les avoines et les blés d'or,
Les châtaignes et les poiriers. »
Disait ça, un enfant de sept ans.

Femme

« Que f'ras-tu quand tu s'ras grand ? » *(bis)*
Je m'en viens, tu t'en vas, nous passons.

Garçon

« Je cultiverai les champs,
Nourrirai femme et enfant. »
Disait ça, un enfant de sept ans.

Chansons
du Canada anglais

Haul on the Bowline

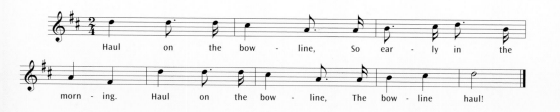

Haul on the bowline, So early in the morning. Haul on the bowline, The bowline haul!

Haul on the bowline,
So early in the morning.
Haul on the bowline,
The bowline haul !

Haul on the bowline,
Kitty is my darling.
Haul on the bowline,
The bowline haul !

Haul on the bowline,
Our bully ship's a-rolling.
Haul on the bowline,
The bowline haul !

Traduction libre

Tire sur le câble,
Très tôt le matin.
Tire sur le câble,
Tire-le bien !

Tire sur le câble,
Kitty est mon amie.
Tire sur le câble,
Tire-le bien !

Tire sur le câble,
Le bateau roule bien.
Tire sur le câble,
Tire-le bien !

I'se the B'y That Builds the Boat

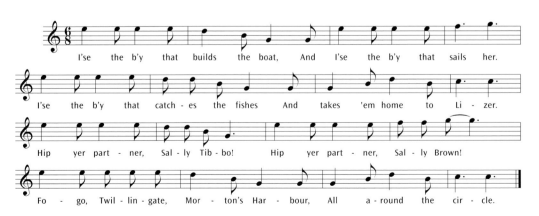

I'se the b'y that builds the boat, And I'se the b'y that sails her.

I'se the b'y that catch-es the fishes And takes 'em home to Li - zer.

Hip yer part - ner, Sal - ly Tib - bo! Hip yer part - ner, Sal - ly Brown!

Fo - go, Twil - lin - gate, Mor - ton's Har - bour, All a - round the cir - cle.

I'se the b'y that builds the boat,
And I'se the b'y that sails her.
I'se the b'y that catches the fishes
And takes 'em home to Lizer.

Refrain

Hip yer partner, Sally Tibbo!
Hip yer partner, Sally Brown!
Fogo, Twillingate, Morton's
   Harbour,
All around the circle.

I don't want your maggoty fish
That's no good for winter;
I can buy as good as that
Down in Bonavista.

Traduction libre

C'est le garçon qui construit le bateau
Et c'est lui qui le mène.
C'est le garçon qui attrape les poissons
Et les apporte à Lizer.

Refrain

Attrape ton partenaire, Sally Tibbo!
Attrape ton partenaire, Sally Brown!
Fogo, Twillingate, Morton's Harbour,
Tout autour du cercle.

Je ne veux pas de ton poisson véreux,
Il n'est pas bon pour l'hiver;
Je peux en acheter du meilleur
Là-bas, à Bonavista.

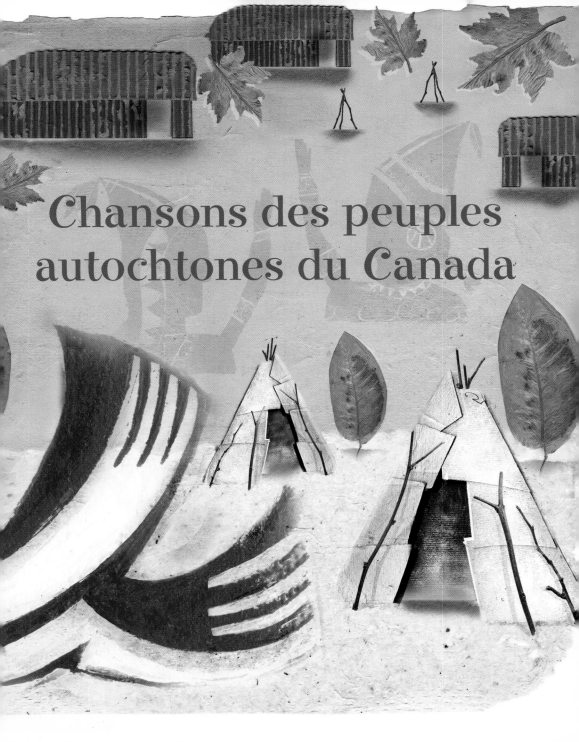

Chansons des peuples autochtones du Canada

Chanson des doigts

Berceuse inuite

Kul - lu   Kul - lu   Kul - lu   Kul - lu   naa - niip - pi?

Maa - nip - pun - ga   maa - nip - pun - ga   qaa - nuip - pi - lii?

Kullu Kullu Kullu Kullu naaniippi ?
Maanippunga maanippunga qaanuippilii ?

Tiikiq tiikiq tiikiq tiikiq naaniippi ?
Maanippunga maanippunga qaanuippilii ?

Qitirsiiq qitirsiiq naaniippi ?
Maanippunga maanippunga qaanuippilii ?

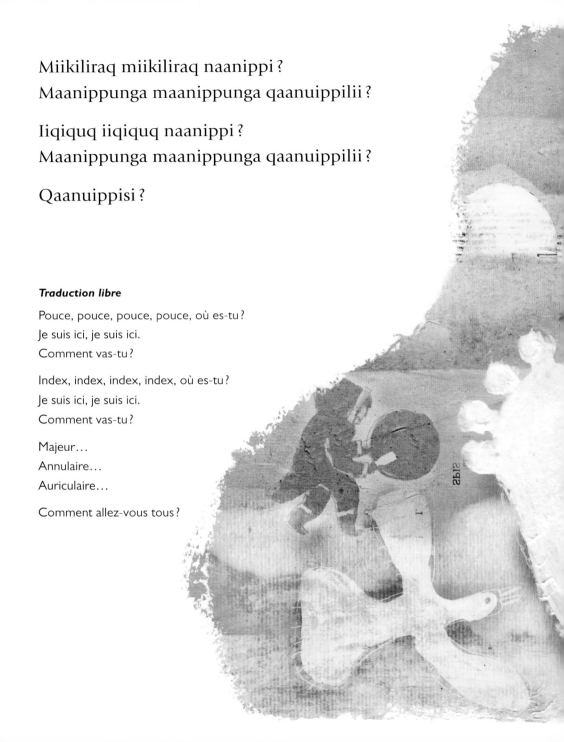

Miikiliraq miikiliraq naanippi ?
Maanippunga maanippunga qaanuippilii ?

Iiqiquq iiqiquq naanippi ?
Maanippunga maanippunga qaanuippilii ?

Qaanuippisi ?

Traduction libre

Pouce, pouce, pouce, pouce, où es-tu ?
Je suis ici, je suis ici.
Comment vas-tu ?

Index, index, index, index, où es-tu ?
Je suis ici, je suis ici.
Comment vas-tu ?

Majeur…
Annulaire…
Auriculaire…

Comment allez-vous tous ?

Danse du pigeon voyageur

Danse mohawk

U wa gee neh U wa gee neh ha'e U wa gee neh ha'e U wa gee neh ha'e

Wa' nee yó hó Wa' nee yó hó Wa' nee yó Hi neh ha U wa gee neh U wa gee neh

U wa gee neh ha e
U wa gee neh ha e } *(bis)*

Wané nee yó hó
Wané nee yó hó
Wané nee yó hó
Hi neh ha

Traduction libre

Le pigeon est arrivé ;
Avec lui vient le printemps.

Danse de l'amitié

Danse abénaquise

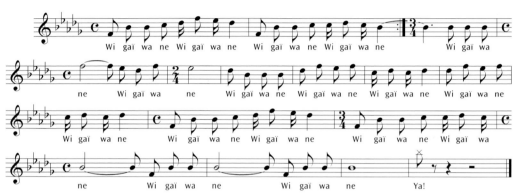

Wi gaï wa ne Wi gaï wa ne   Wi gaï wa ne Wi gaï wa ne   Wi gaï wa

ne   Wi gaï wa   ne   Wi gaï wa ne   Wi gaï wa ne   Wi gaï wa ne   Wi gaï wa ne

Wi gaï wa ne   Wi gaï wa ne Wi gaï wa ne   Wi gaï wa ne Wi gaï wa

ne   Wi gaï wa   ne   Wi gaï wa   ne   Ya!

Wi gaï wa ne

Wi gaï wa ne

Wi gaï wa ne

Wi gaï wa ne

Traduction libre

Je vous invite (à vous rassembler).

Chansons des États-Unis

Mary Had a Little Lamb

Mar - y had a lit - tle lamb, Lit - tle lamb, lit - tle lamb,

Mar - y had a lit - tle lamb, Its fleece was white as snow.

Mary had a little lamb,
Little lamb, little lamb,
Mary had a little lamb,
Its fleece was white as snow.

And everywhere that Mary went,
Mary went, Mary went,
And everywhere that Mary went,
The lamb was sure to go.

He followed her to school one day,
School one day, school one day,
He followed her to school one day,
That was against the rule.

It made the children laugh and play,
Laugh and play, laugh and play,
It made the children laugh and play
To see a lamb at school.

And so the teacher turned him out,
Turned him out, turned him out,
And so the teacher turned him out,
But still he lingered near.

And waited patiently about,
'Tly about, 'tly about,
And waited patiently about
Till Mary did appear.

Traduction libre

Marie avait un agneau,
Un agneau, un agneau,
Marie avait un agneau
Qui était blanc comme neige.

Partout où Marie allait,
Marie allait, Marie allait,
Partout où Marie allait,
Son agneau la suivait.

Un jour, il l'a suivie à l'école,
À l'école, à l'école,
Un jour, il l'a suivie à l'école,
Mais ce n'était pas permis.

Les enfants ont bien ri,
Ont bien ri, ont bien ri,
Les enfants ont bien ri
De voir un agneau à l'école.

La maîtresse l'a mis à la porte,
À la porte, à la porte,
La maîtresse l'a mis à la porte,
Mais il restait tout près.

Il attendait patiemment,
Patiemment, patiemment,
Il attendait patiemment
Le retour de Marie.

She'll Be Coming Round the Mountain

She'll be com-ing round the moun-tain When she comes. When she comes. She'll be

com-ing round the moun-tain When she comes. When she comes. She'll be com-ing round the moun-tain She'll be

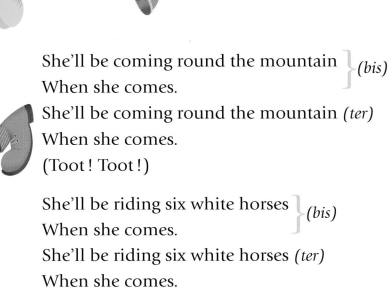

She'll be coming round the mountain } *(bis)*
When she comes.
She'll be coming round the mountain *(ter)*
When she comes.
(Toot! Toot!)

She'll be riding six white horses } *(bis)*
When she comes.
She'll be riding six white horses *(ter)*
When she comes.
(Whoa there! Toot! Toot!)

And we'll all come out to see her } *(bis)*
When she comes.
And we'll all come out to see her *(ter)*
When she comes.
(Hi, babe! Whoa there! Toot! Toot!)

And we'll all have chicken and dumplings } *(bis)*
When she comes.
And we'll all have chicken and dumplings *(ter)*
When she comes.
(Yum yum! Hi, babe! Whoa there! Toot! Toot!)

Traduction libre

Elle contournera la montagne
Quand elle viendra
Elle contournera la montagne
Quand elle viendra.
(Toot ! Toot !)

Elle conduira six chevaux blancs
Quand elle viendra.
Elle conduira six chevaux blancs
Quand elle viendra.
(Ho là ! Toot ! Toot !)

Nous sortirons tous la voir
Quand elle viendra.
Nous sortirons tous la voir *(ter)*
Quand elle viendra.
(Salut ! Ho là ! Toot ! Toot !)

Nous mangerons tous du poulet
Quand elle viendra.
Nous mangerons tous du poulet
Quand elle viendra.
(Mium mium ! Salut ! Ho là ! Toot ! Toot !)

Clementine

In a cavern, in a can-yon, Ex-ca-va-ting for a mine, Dwelt a mi-ner, for-ty-ni-ner, And his daugh-ter Clem-en-tine. Oh, my dar-ling, oh, my dar-ling, Oh, my dar-ling Clem-en-tine, You are lost and gone for-ev-er! Dread-ful sor-ry, Clem-en-tine.

In a cavern, in a canyon,
Excavating for a mine,
Dwelt a miner, fortyniner,
And his daughter Clementine.

Refrain
Oh, my darling, oh, my darling,
Oh, my darling Clementine,
You are lost and gone forever!
Dreadful sorry, Clementine.

Light she was and like a fairy,
And her shoes were number nine;
Herring boxes without topses
Sandals were for Clementine.

Drove she ducklings to the water
Every morning just at nine.
Hit her foot against a splinter,
Fell into the foaming brine.

Ruby lips above the water
Blowing bubbles soft and fine;
But alas, I was no swimmer,
So I lost my Clementine.

Traduction libre

Dans la caverne d'un canyon,
Tout en creusant sa mine,
Vivait un mineur de la ruée vers l'or
Avec sa fille Clémentine.

Refrain
Ô ma chère, ô ma chère,
Ô ma chère Clémentine,
Tu es partie à jamais !
Je te regrette, Clémentine.

Elle était légère comme une fée
Et portait des souliers pointure neuf.
Elle se chaussait de boîtes à sardines
Sans couvercle, Clémentine.

Elle conduisait les canards à l'étang
Tous les matins à neuf heures.
Un jour, elle a heurté un bout de bois
Et est tombée dans l'eau salée.

Ses lèvres vermeilles à la surface de l'eau
Faisaient des bulles douces et fines ;
Mais hélas ! je ne sais pas nager,
Et j'ai perdu ma Clémentine.

Short'nin' Bread

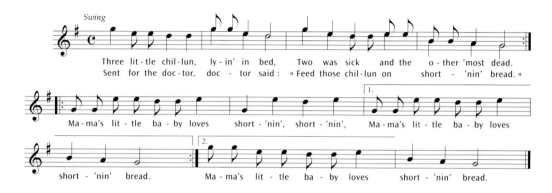

Swing

Three lit - tle chil - lun, ly - in' in bed, Two was sick and the o - ther 'most dead.
Sent for the doc - tor, doc - tor said : « Feed those chil - lun on short - 'nin' bread. »

Ma - ma's lit - tle ba - by loves short - 'nin', short - 'nin', Ma - ma's lit - tle ba - by loves

short - 'nin' bread.   Ma - ma's lit - tle ba - by loves short - 'nin' bread.

Three little chillun, lyin' in bed,
Two was sick and the other 'most dead.
Sent for the doctor, doctor said :
« Feed those chillun on short'nin' bread. »

Refrain

Mama's little baby loves short'nin', short'nin',
Mama's little baby loves short'nin' bread. } *(bis)*

When them chillun sick in bed
Heard that talk about short'nin' bread,
Popped up well to dance and sing,
Skipped around, cut the pigeon wing.

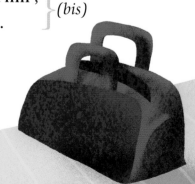

I slipped in the kitchen, I raised up the lid,
I stole me a mess of that short'nin' bread.
I winked at the pretty gal and I said :
« Baby, how'd you like some short'nin'
    bread ? »

Traduction libre

Trois petits enfants au lit,
Deux étaient malades, l'autre presque mort.
On va chercher le docteur et il dit :
« Donnez-leur du pain au lard. »

Refrain

Les bébés de maman aiment la galette, la galette,
Les bébés de maman aiment la galette.

Quand les enfants malades
Ont entendu parler de galette,
Ils se sont mis à danser et à chanter,
À sauter et à taper du pied.

J'ai couru à la cuisine, soulevé le couvercle.
J'ai volé un tas de galettes.
J'ai fait un clin d'œil à la jolie fille :
« Bébé, veux-tu des galettes ? »

Little Brown Jug

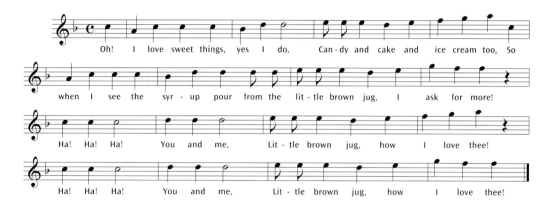

Oh! I love sweet things, yes I do, Can-dy and cake and ice cream too, So
when I see the syr-up pour from the lit-tle brown jug, I ask for more!
Ha! Ha! Ha! You and me, Lit-tle brown jug, how I love thee!
Ha! Ha! Ha! You and me, Lit-tle brown jug, how I love thee!

Oh! I love sweet things, yes I do,
Candy and cake and ice cream too,
So when I see the syrup pour
    from the little brown jug,
I ask for more!

Ha! Ha! Ha! You and me,
Little brown jug, how I love thee!
Ha! Ha! Ha! You and me,
Little brown jug, how I love thee!

Traduction libre

Oh! que j'aime les sucreries, oh oui!
Les bonbons, les gâteaux et la crème glacée,
Mais quand je vois le sirop de ma petite cruche brune,
J'en demande encore!

Ha! ha! ha! Toi et moi,
Petite cruche brune, comme je t'aime!
Ha! ha! ha! Toi et moi,
Petite cruche brune, comme je t'aime!

Chanson
de la Louisiane

L'arbre est dans ses feuilles...

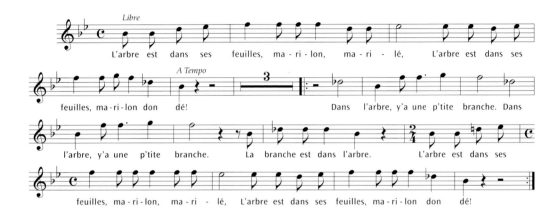

Refrain

L'arbre est dans ses feuilles, marilon, marilé,
L'arbre est dans ses feuilles, marilon don dé !

Dans l'arbre, y'a une p'tite branche. *(bis)*
La branche est dans l'arbre.
L'arbre est dans ses feuilles…

Et dans la branche, y'a un p'tit nœud. *(bis)*
Le nœud est dans la branche,
La branche est dans l'arbre.
L'arbre est dans ses feuilles…

Et dans le nœud, y'a un p'tit trou. *(bis)*
Le trou est dans le nœud,
Le nœud est dans la branche,
La branche est dans l'arbre.
L'arbre est dans ses feuilles…

Et dans le trou, y'a un p'tit nid. *(bis)*
Le nid est dans le trou,
Le trou est dans le nœud…

Et dans le nid, y'a un p'tit œuf. *(bis)*
L'œuf est dans le nid,
Le nid est dans le trou…

Et dans l'œuf, y'a un oiseau. *(bis)*
L'oiseau est dans l'œuf,
L'œuf est dans le nid…

Et dans l'oiseau, y'a un p'tit cœur. *(bis)*
Le cœur est dans l'oiseau...

Et dans le cœur, il y a l'amour. *(bis)*
L'amour est dans le cœur...

Chansons du Mexique

Cielito lindo

De la Sier - ra mo - re - na, Cie - li - to lin - do, vien - en ba - jan - do,

Un par de'o - ji - tos ne - gros, Cie - li - to lin - do, de con - tra - ban - do.

Ay, ay, ay, ay! Can - ta'y no llo - res, Por -

que can - tan - do se'a - le - gran, Cie - li - to lin - do, los co - ra - zo - nes.

De la Sierra morena,
Cielito lindo, vienen bajando,
Un par de ojitos negros,
Cielito lindo, de contrabando.

(bis)

Refrain
Ay, ay, ay, ay !
Canta y no llores,
Porque cantando se alegran,
Cielito lindo, los corazones.

Ese lunar que tienes,
Cielito lindo, junto a la boca,
No se lo des a nadie, cielito lindo,
Que a mí me toca.

(bis)

Traduction libre

De la montagne brune
Dévale, joli petit ciel,
Une paire de petits yeux noirs
De contrebande, joli petit ciel.

Refrain

Aïe, aïe, aïe, aïe !
Chante et ne pleure pas,
Parce que le chant réjouit
Les cœurs, joli petit ciel.

Ce grain de beauté que tu as,
Près de la bouche, joli petit ciel
Ne le donne à personne, joli petit ciel,
Car il est à moi.

La cucaracha

La cu-ca-ra-cha, la cu-ca-ra-cha Ya no pue-de ca-mi-nar, Por-que no tie-ne, por-que le fal-ta La pa-ti-ta par' an-dar. dar. U-na cu-ca-ra-cha pin-ta Le dice a una co-lo-ra-da: «Vá-mo-nos para A-ca-pul-co A pa-sar la tem-po-ra-da.» ra-da.»

Refrain

La cucaracha, la cucaracha
Ya no puede caminar,
Porque no tiene, porque le falta
La patita para andar.

(bis)

Una cucaracha pinta
Le dice a una colorada :
«Vámonos para Acapulco
A pasar la temporada. »

(bis)

85

Ya murió la cucaracha,
Ya la llevan a enterrar
Entre cuatro zopilotes
Y un ratón de sacristán.

(bis)

Traduction libre

Refrain

Le cancrelat, le cancrelat
Déjà ne peut plus avancer,
Parce qu'il n'a pas, parce qu'il
   lui manque
La petite patte pour marcher.

Un cancrelat tacheté
Dit à un autre, tout rouge :
« Allons à Acapulco
Passer la saison. »

Déjà il est mort le cancrelat,
Déjà on va l'enterrer
Entre quatre vautours
Et une souris comme sacristine.

Chansons des Antilles

Yellow Bird

My friend has a yel-low bird That goes with him for a walk.

But e - ven more than that, It al - so knows how to talk.

Yel - low bird, fly up in co - co - nut tree!

I would like to know How do flow - ers grow. Can you tell me when Sum - mer comes a - gain?

How do riv - ers flow? What makes breez - es blow? Please an - swer for me.

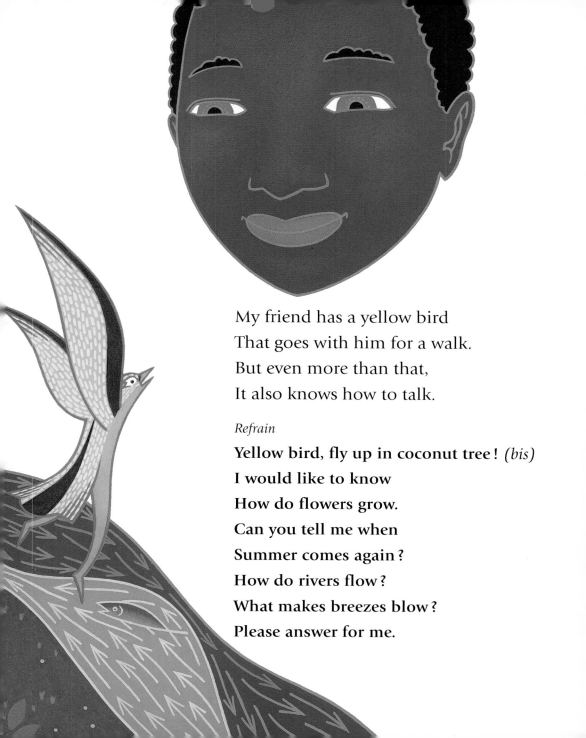

My friend has a yellow bird
That goes with him for a walk.
But even more than that,
It also knows how to talk.

Refrain
Yellow bird, fly up in coconut tree! *(bis)*
I would like to know
How do flowers grow.
Can you tell me when
Summer comes again?
How do rivers flow?
What makes breezes blow?
Please answer for me.

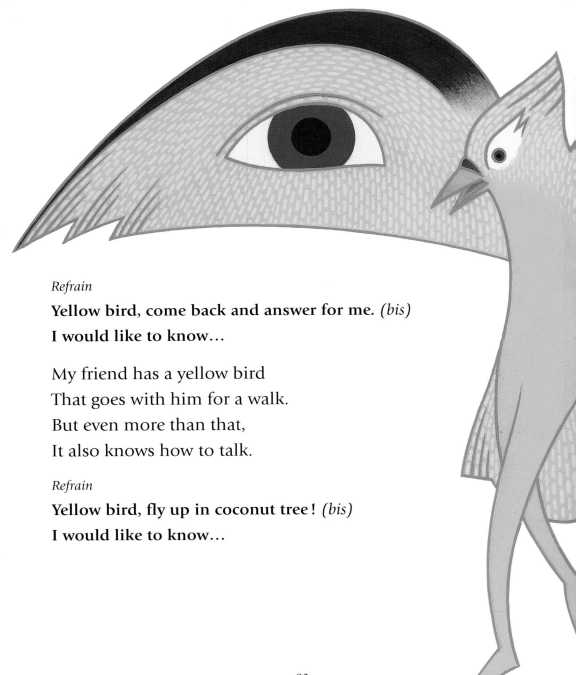

Refrain

Yellow bird, come back and answer for me. *(bis)*
I would like to know…

My friend has a yellow bird
That goes with him for a walk.
But even more than that,
It also knows how to talk.

Refrain

**Yellow bird, fly up in coconut tree ! ** *(bis)*
I would like to know…

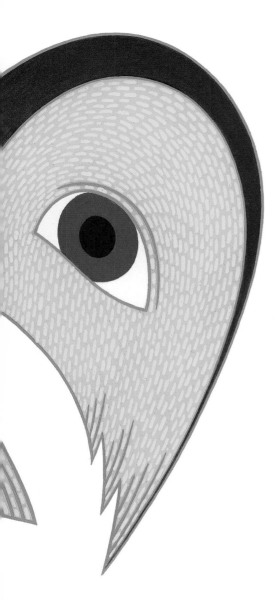

Traduction libre

Mon ami a un oiseau jaune
Qu'il amène avec lui en promenade.
Mais mieux encore,
Son oiseau sait aussi parler.

Refrain

Oiseau jaune, envole-toi dans le cocotier !
J'aimerais savoir
Comment poussent les fleurs.
Peux-tu me dire quand
L'été reviendra ?
Comment coulent les rivières ?
Qu'est-ce qui fait souffler le vent ?
Je t'en prie, réponds-moi.

Refrain

Oiseau jaune, reviens et réponds-moi.
J'aimerais savoir…

Mon ami a un oiseau jaune
Qu'il amène avec lui en promenade.
Mais mieux encore,
Son oiseau sait aussi parler.

Refrain

Oiseau jaune, envole-toi dans le cocotier !
J'aimerais savoir…

Doudou à moin

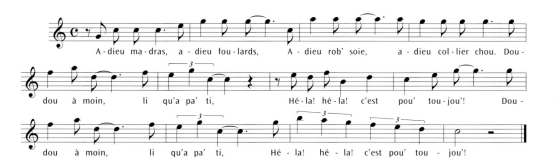

Adieu madras, adieu foulards,
Adieu rob'soie, adieu collier chou.
Doudou à moin, li qu'a pa'ti,
Héla ! héla ! c'est pou' toujou' ! } *(bis)*

« Bonjour, Monsieur le gouverneu'
Moin veni' fair' un' tit' pétition
Pou' 'mander vous la permission
Pou laisser Doudou moin à moin. » } *(bis)*

« Non, non, Mam'zell', il est trop tard ;
La consigne est déjà signée,
Doudou à vous, li qu'a pa'ti.
Le navire est sur la bouée. » } *(bis)*

Adieu madras, adieu foulards,
Adieu rob'soie, adieu collier chou.
Doudou à moin, li qu'a pa'ti,
Héla ! héla ! c'est pou' toujou' ! } *(bis)*

Traduction libre

Adieu madras, adieu foulards,
Adieu robes de soie, adieu colliers de chou.
Mon ami est parti,
Hélas ! hélas ! pour toujours !

« Bonjour, monsieur le gouverneur
Je suis venue faire une petite requête
Je vous supplie
De laisser mon ami en paix. »

« Non, non, Mademoiselle, il est trop tard ;
L'ordre est donné,
Votre ami est déjà parti.
Le navire a quitté le port. »

Adieu madras, adieu foulards,
Adieu robes de soie, adieu colliers de chou.
Mon ami est parti,
Hélas ! hélas ! pour toujours !

Duerme, duerme, negrito

Duer - me, duer - me, ne - gri - to
Que tu ma - má 'es - tá 'en el cam - po, Ne - gri - to.

Fine

1. Te va 'a tra - er co - dor - ni - ces pa - ra ti.
2. Te va 'a tra - er ri - cas fru - tas pa - ra ti.
3. Te va 'a tra - er mu - chas co - sas pa - ra ti!

Te va 'a tra - er ca - ra -

me - los pa - ra ti. Y si ne - gro no se duer - me, Vie - ne dia - blo blan - co 'y zas! Le co - me la pa -

D.S. al Coda

ti - ca. A - pun - ga pun - ga pun - ga. A - pun - ga pun - ga chu.

1. 2. 3. 4.　　　　　5.　　　*D.C. al Fine*

Tra - ba - jan - do, sî tra - ba - jan - do du - ra - men - te. jan - do, sî.
Tra - ba - jan - do, sî tra - ba - jan - do y es - tá de lu - to.
Tra - ba - jan - do, sî tra - ba - jan - do y no le pa - gan.
Tra - ba - jan - do, sî tra - ba - jan - do pa - ra el ne - gri - to.

Refrain

Duerme, duerme, negrito
Que tu mamá está en el campo, } *(bis)*
Negrito.

Te va a traer codornices para ti.
Te va a traer ricas frutas para ti.
Te va a traer muchas cosas para ti !
Te va a traer caramelos para ti.
Y si negro no se duerme,
Viene diablo blanco y zas !
Le come la patica.
Apunga punga punga,
Apunga punga chu.

Refrain

Duerme, duerme, negrito...

101

Trabajando sî, trabajando duramente.
Trabajando sî, trabajando y está de luto.
Trabajando sî, trabajando y no le pagan.
Trabajando sî, trabajando para el negrito.
Trabajando, sî.

Refrain
Duerme, duerme, negrito...

Traduction libre

Refrain
Dors, dors, petit nègre,
Pendant que ta maman est aux champs,
Petit nègre.

Elle te rapportera des cailles.
Elle te rapportera des fruits délicieux.
Elle te rapportera beaucoup de choses !
Elle te rapportera des bonbons.
Mais si tu ne dors pas, petit nègre,
Le diable blanc viendra, et vlan !
Et il mangera tes petits pieds !
Apunga punga punga,
Apunga punga chu.

Refrain
Dors, dors, petit nègre...

Elle travaille, travaille durement.
Elle travaille, travaille et est en deuil.
Elle travaille, travaille et on ne la paie pas.
Elle travaille, travaille pour le petit nègre.
Elle travaille, vraiment.

Refrain
Dors, dors, petit nègre...

Dodo titite

Dodo, tititit manman.

Si li pa dodo, krab la va manje l.

Manman li prale larivyè.

Papa li prale peche krab.

Si li pa dodo, krab la va manje l.

(bis)

Dodo, titit, krab nan kalalou.

Traduction libre

Dors, mon enfant.
Si tu ne dors pas, le crabe te mangera.

Ta maman va à la rivière,
Ton papa va pêcher du crabe.
Si tu ne dors pas, le crabe te mangera.

Dors petit, les crabes sont bien morts.

À propos des chansons

Alouette
Chanson à récapitulation d'origine inconnue, mais très répandue chez tous les Français d'Amérique.

V'là l'bon vent
À l'époque où les transports se faisaient en canot sur les rivières du Canada, les rameurs avaient inventé des chansons rythmées pour scander leurs coups d'aviron.

Où vas-tu, mon p'tit garçon ?
Destinée à la jeunesse, cette chanson d'école fait partie du folklore acadien. Elle symbolise le peuple qui l'a gardée en son sein, à la face blafarde de la dispersion et du malheur d'antan. En dépit de tout, elle conserve un rayon de soleil de confiance en l'avenir, de permanence, puisqu'elle recommande de cultiver les champs et de nourrir femme et enfants.

Haul on the Bowline
Cette chanson importée d'Angleterre était utilisée par les marins canadiens pour rythmer certaines opérations sur les bateaux, non seulement en mer, mais aussi sur les Grands Lacs. Elle servait à harmoniser les mouvements pour le tirage des câbles. Les enfants l'ont incorporée à leurs jeux en mimant cette même action.

I'se the B'y That Builds the Boat
Cette chanson vient de Terre-Neuve, où l'on construisait des bateaux de pêche. Fogo, Twillingate et Morton's Harbour sont des ports terre-neuviens.

Chanson des doigts
Cette berceuse inuite passe en revue les doigts de la main comme d'autres comptent les moutons pour s'endormir. Comme il fait froid au pays des Inuits, elle entraîne un jeu de doigts qui permet du même coup de les réchauffer.

Danse du pigeon voyageur
Comme l'oiseau qui lui donne son nom, cette danse mohawk annonce l'arrivée du printemps. Elle est utilisée comme chant d'introduction à la Cérémonie de l'érable, véritable fête du printemps.

Danse de l'amitié

Il s'agit d'un chant de reconnaissance entre les peuples de la Confédération Wabon-Aki, incluant les Malécites, les Mics Macs, les Pénobscots, les Passamaquoddys et les Abénaquis, c'est-à-dire les peuples de l'aurore. Ce chant fait partie du répertoire chanté lors de la grande fête annuelle, le « Pow wow ».

Mary Had a Little Lamb

Chanson publiée en 1830 par Sarah Josepha Hale, une Américaine vivant à New Port, dans le New Hampshire. Elle fut la première femme éditrice aux États-Unis.

She'll Be Coming Round the Mountain

Cette chanson américaine date des années 1870, du temps de la construction des chemins de fer. Elle est très populaire aux États-Unis.

Clementine

Cette chanson a été popularisée lors de la ruée vers l'or de 1849 en Californie.

Short'nin' Bread

Cette chanson fait partie du folklore du sud des États-Unis. Elle est probablement d'origine afro-américaine.

Little Brown Jug

Cette chanson fait partie du folklore du sud des États-Unis.

L'arbre est dans ses feuilles...

Cette chanson fait partie du folklore cajun.

Cielito lindo

Air mexicain repris par les groupes de mariachis, ces orchestres dont les musiciens sont coiffés de sombreros. Ces orchestres comprennent violonistes, guitaristes et trompettistes qui jouent et chantent à tour de rôle.

La cucaracha

Chanson popularisée par les partisans de Pancho Villa pendant la révolution mexicaine (1870-1910).

Yellow Bird

Cet air est chanté partout dans les Antilles. Dans les îles françaises, il s'intitule « Tit-oiseau ».

Doudou à moin

Il est assez facile de comprendre les paroles de cette chanson d'adieu créole. Elle est chantée dans les Antilles françaises. Le madras est le tissu à carreaux que les Antillaises portent comme une sorte de turban.

Duerme, duerme, negrito

Cette chanson s'inspire du folklore des Caraïbes.

Dodo titite

Berceuse du folklore haïtien.

Index

Achevé d'imprimer sur les presses
de l'imprimerie Transcontinental
au mois de septembre 2007
Québec (Canada)